APRESENTAÇÃO

Oba! Caligrafia é a brincadeira que eu mais gosto!

Preparamos um caderninho muito divertido para a sua letrinha ficar bem bonita. Cada página tem uma letra do alfabeto diferente para você aprender a escrever tudo no capricho. É tão gostoso como brincar no recreio com seus amiguinhos. Depois que você começar, você não vai querer mais parar. E o melhor de tudo é que você vai fortalecer sua coordenação motora e adquirir firmeza na mão para ter um traço perfeito. Viu que legal? Agora é só pegar um lápis e uma borracha e começar a brincadeira!

Todos os direitos desta edição reservados
para Editora Pé da Letra
www.pedaletra.com
(11) 3733-0404 | 3687-7198

Direção Editorial
James Misse

Projeto gráfico, diagramação e revisão de texto
Quatria Projetos Especiais

Equipe editorial
Gustavo Mendes
Felipe Fiuza (diagramação e ilustrações)
Marcos Reis (textos e revisão)

CALIGRAFIA

COLEÇÃO
Linhas&Letrinhas
LETRA BASTÃO

A árvore onde o passarinho mora
Começa com a letra A e fica no jardim da escola

A   A

A

A

A

A
A
A

Arvore

Aproveite para colorir

Complete as letras faltantes!

_FOLH_C_IU D_ _RVORE.

O barco que cruza as águas do rio
Começa com a letra B e leva o vovô para a casa do titio

B B

B

B

B

B

B

B

BARCO

Aproveite para colorir

Complete as letras faltantes!

O _ARCO _RANCO É _ONITO.

O cachorro que faz au-au quando quer comer
Começa com a letra C e balança o rabo quando me vê

C

C

C

C

C C C
C C
C C

CACHORRO

Aproveite para colorir

Complete as letras faltantes!

O _A_HORRO _OMEU A _OMIDA.

O dinossauro que tem um pescoço engraçado
Começa com a letra **D** e tem o olho arredondado

D D

D

D

D

D
D
D

DINOSSAURO

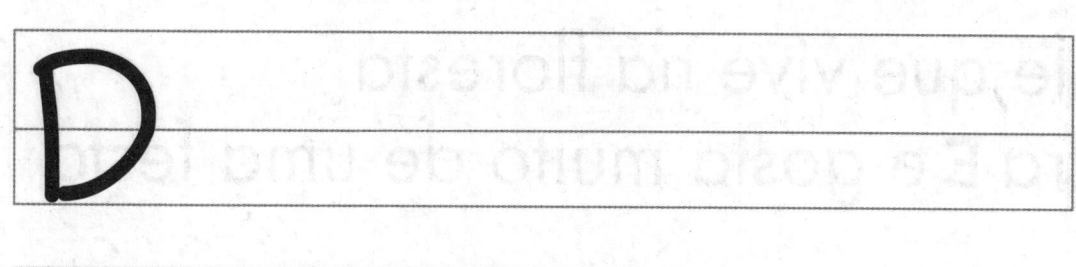

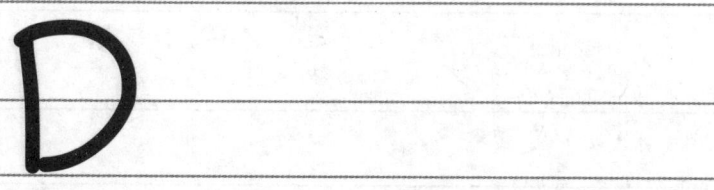

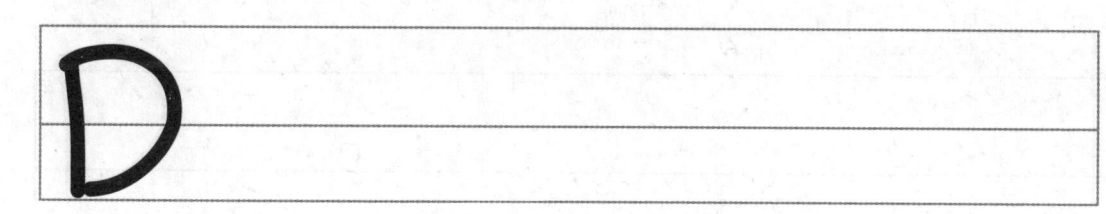

Aproveite para colorir

Complete as letras faltantes!

O _INOSSAURO _ORMIU _URANTE HORAS.

O elefante que vive na floresta
Começa com a letra **E** e gosta muito de uma festa

E E

E

E

E

E

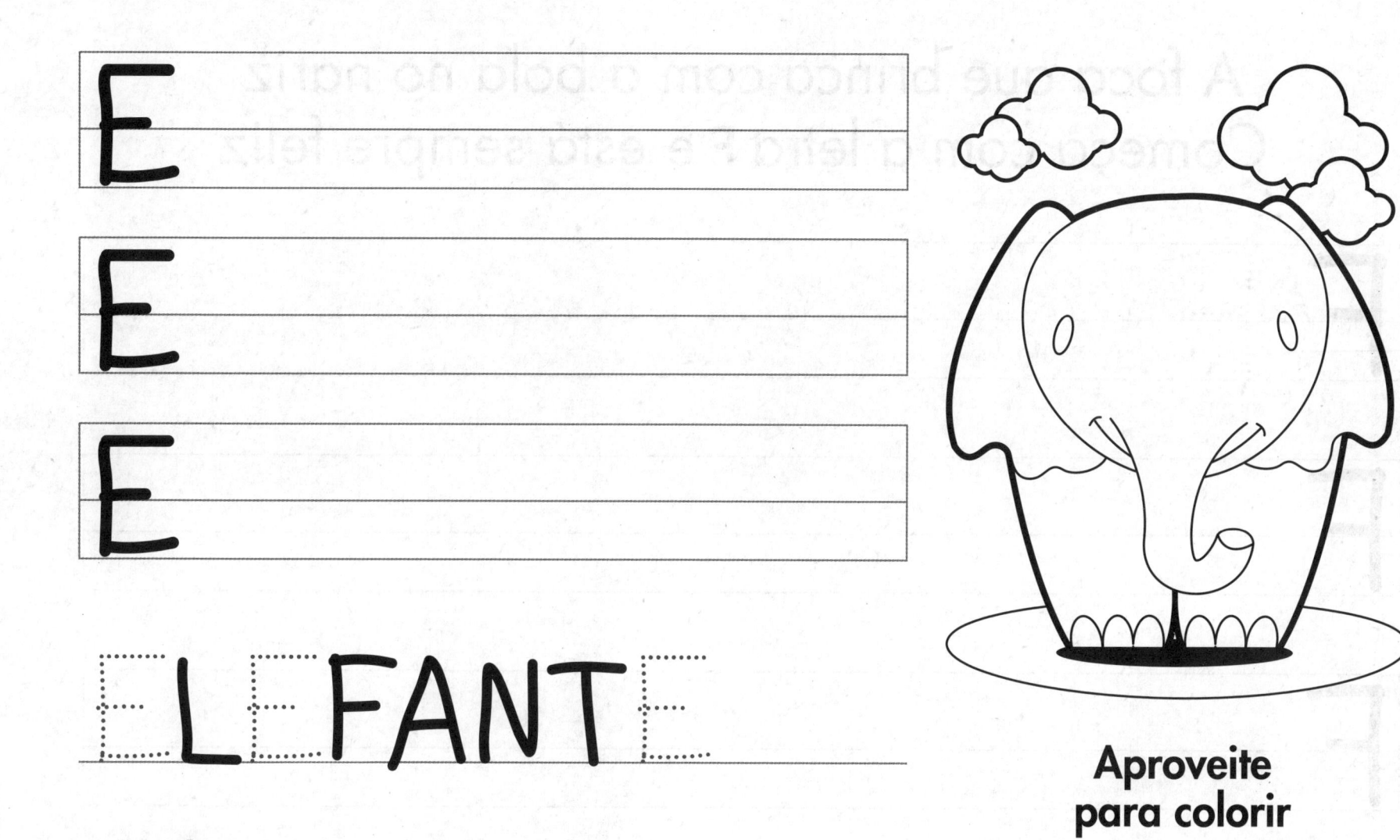

E

E

ELEFANTE

Aproveite para colorir

Complete as letras faltantes!

O _L_FANT_ _STAVA F_LIZ.

A foca que brinca com a bola no nariz
Começa com a letra **F** e está sempre feliz

F F

F

F

F

F

F

F

FOCA

Aproveite para colorir

Complete as letras faltantes!

A _OCA _AZIA _OLIA.

O gato que faz miau
Começa com a letra G e mora no quintal

G G

G

G

G

G G G

G G G

GATO

Aproveite para colorir

Complete as letras faltantes!

O _ATO _OSTA DE BRINCAR.

O hipopótamo que gosta de nadar no rio
Começa com a letra H e não sente frio

H H

H

H

H

H

H

H

HIPOPÓTAMO

Aproveite para colorir

Complete as letras faltantes!

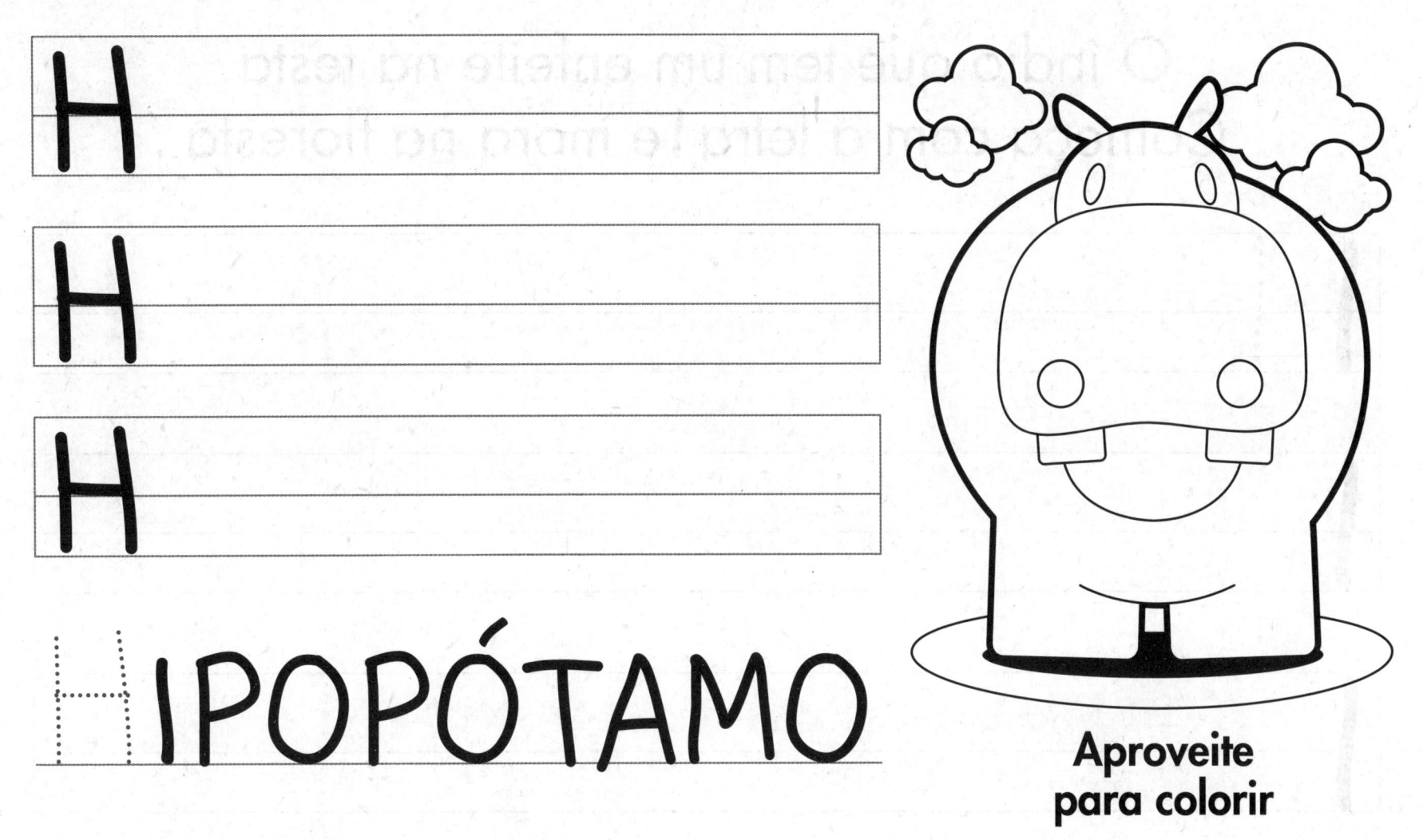

O _IPOPÓTAMO NADAVA NO LAGO.

O índio que tem um enfeite na testa
Começa com a letra I e mora na floresta

I
I
I

ÍNDIO

Aproveite para colorir

Complete as letras faltantes!

O _ND_O NADAVA NO R_O.

O jacaré que toma banho tranquilo
Começa com a letra **J** e é primo do crocodilo

J J

J

J

J

J J J

JACARÉ

Aproveite para colorir

Complete as letras faltantes!

O _ACARÉ _OGOU O _OGO.

O kiwi é uma fruta muito gostosa
Começa com a letra K e a mamãe acha deliciosa

K K

K

K

K

K

K

K

KIWI

Aproveite para colorir

Complete as letras faltantes!

O SUCO DE _IWI É DOCE.

O leão que não gosta de cortar a juba
Começa com a letra L e não tem vergonha nenhuma

L

L

L

L

L L L

L EÃO

Aproveite para colorir

Complete as letras faltantes!

O _EÃO CUIDAVA DOS _EÕEZINHOS.

O macaco que só come banana
Começa com a letra M e vive deitado na grama

M M

M

M

M

M

M

M

MACACO

Aproveite para colorir

Complete as letras faltantes!

O _ACACO _ATRAQUEAVA _UITO.

O navio que leva as pessoas pelo oceano
Começa com a letra N e tem um ninho de pelicano

N N

N

N

N

N N N

N N N

NAVIO

Aproveite para colorir

Complete as letras faltantes!

O _AVIO _AVEGAVA PELO MAR.

O ônibus da escola que vem me pegar em casa
Começa com a letra **O** e nunca se atrasa

O O

O

O

O

O

O

O

ÔNIBUS

Aproveite para colorir

Complete as letras faltantes!

_ _NIBUS ANDAVA PELAS RUAS.

O pato que nada na lagoa
Começa com a letra **P** e está perto da canoa

P P

P

P

P

P

P

P

PATO

Aproveite para colorir

Complete as letras faltantes!

O _ATO _ATETA _INTOU A _ANELA.

O quati que mora na mata
Começa com a letra Q e não gosta de batata

Q
Q
Q
Q

Q Q Q

QUATI

Aproveite para colorir

Complete as letras faltantes!

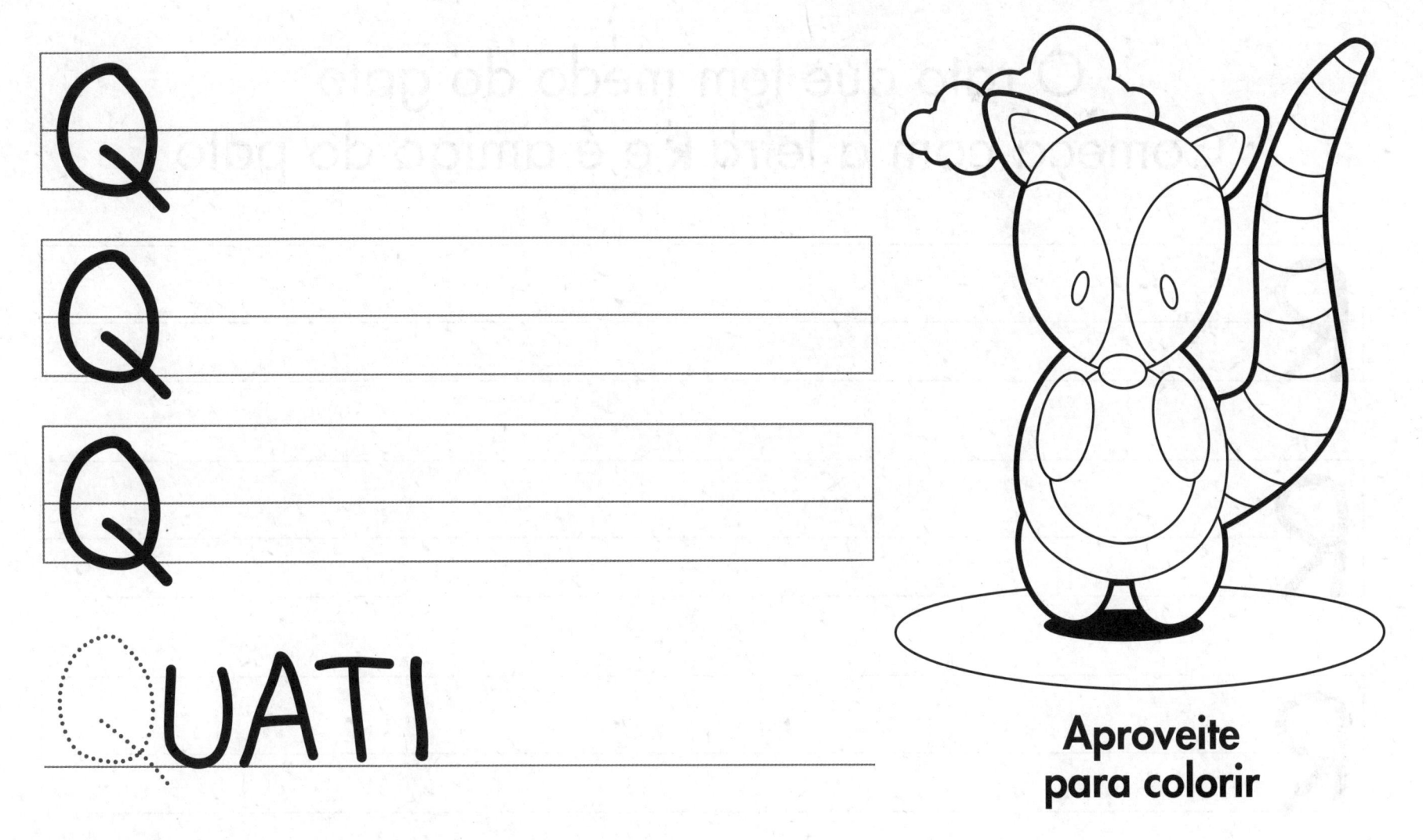

O _UATI CORRIA PELAS ÁRVORES.

O rato que tem medo do gato
Começa com a letra R e é amigo do pato

R R

R

R

R

R R R

R ATO

Aproveite para colorir

Complete as letras faltantes!

O _ATO _OEU A _OUPA DO _EI DE _OMA.

O sapo que é apaixonado pela princesa
Começa com a letra **s** e mora na represa

s s

s

s

s

S

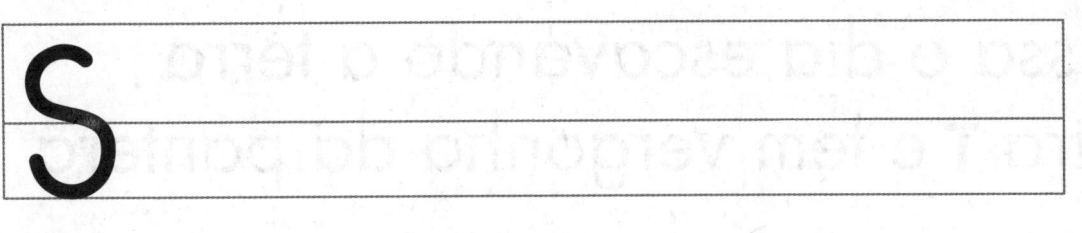

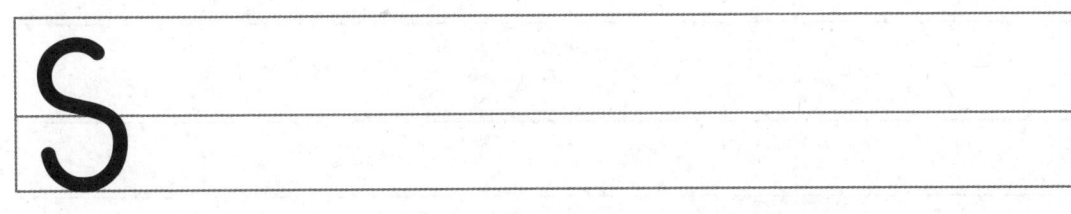

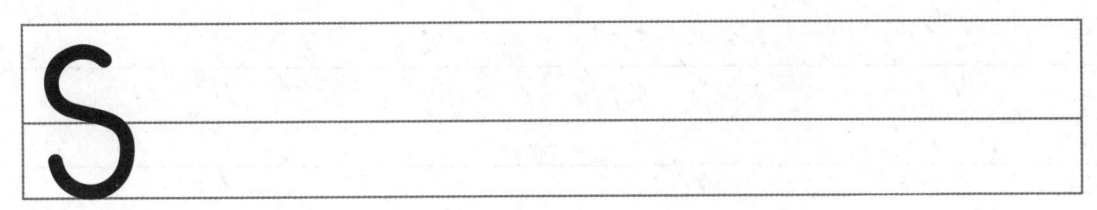

S

S

SAPO

Aproveite para colorir

Complete as letras faltantes!

O _APO _ERELEPE _AIU DO LAGO.

O tatu que passa o dia escavando a terra
Começa com a letra T e tem vergonha da pantera

T T

T

T

T

T T T

T T T

TATU

Aproveite para colorir

Complete as letras faltantes!

O _A_U _OMOU UM SUCO.

O urso que é primo do panda
Começa com a letra u e toca guitarra em uma banda

U U

U

U

U

U
U
U

URSO

Aproveite para colorir

Complete as letras faltantes!

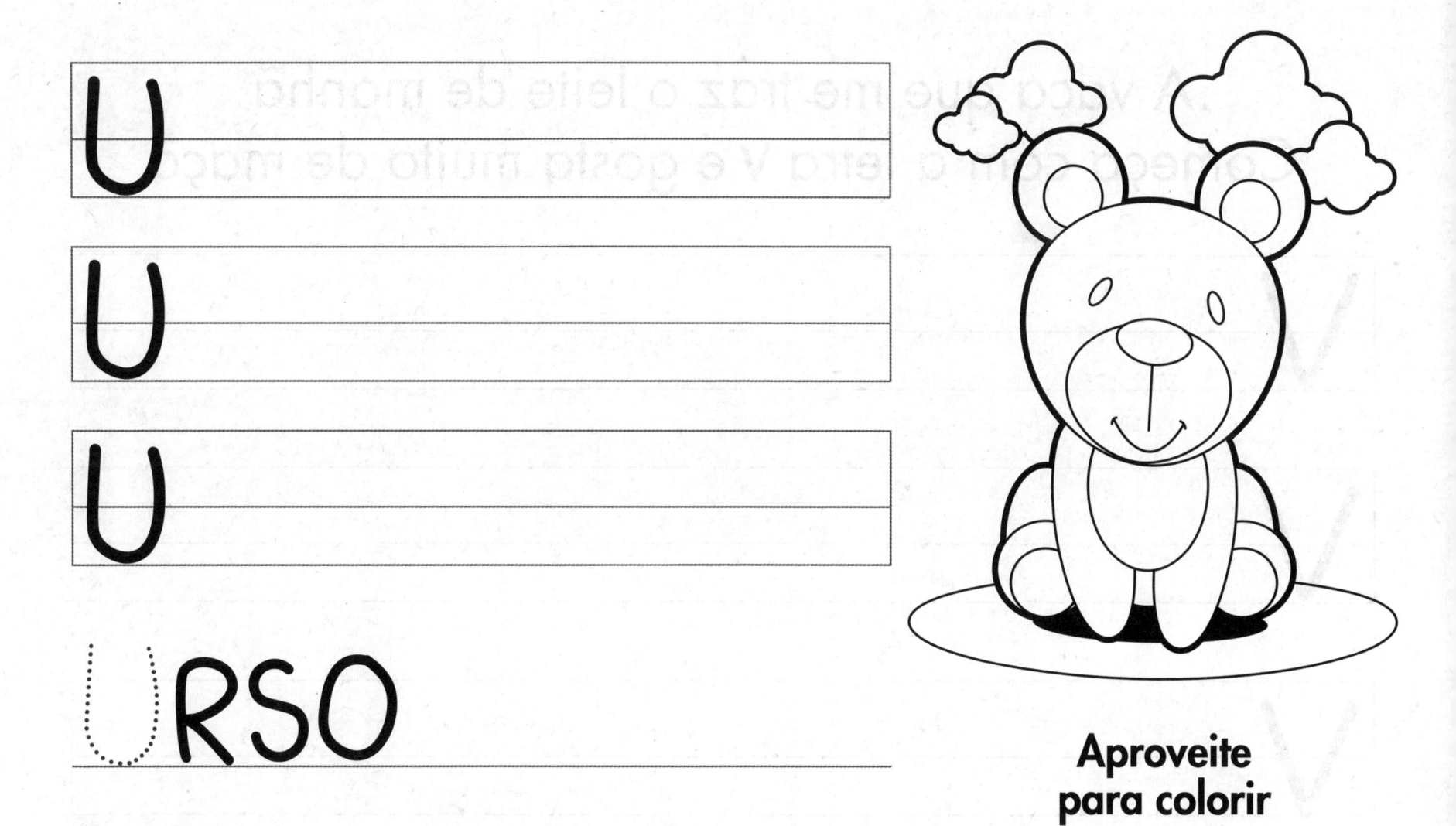

O _RSO DORME DENTRO DA CAVERNA.

A vaca que me traz o leite de manhã
Começa com a letra V e gosta muito de maçã

V V

V

V

V

V

V

V

VACA

Aproveite para colorir

Complete as letras faltantes!

A _ACA MUGIU NO PASTO.

O wallabee que parece um canguru
Começa com a letra W e é vizinho do tatu

W w

W

W

W

W

W

W

WALLABEE

Complete as letras faltantes!

Aproveite
para colorir

O _ALLABEE MORA NA AUSTRÁLIA.

O xilofone que é um instrumento musical
Começa com a letra X e tem um som muito legal

X X

X

X

X

X

X

X

XILOFONE

Aproveite para colorir

Complete as letras faltantes!

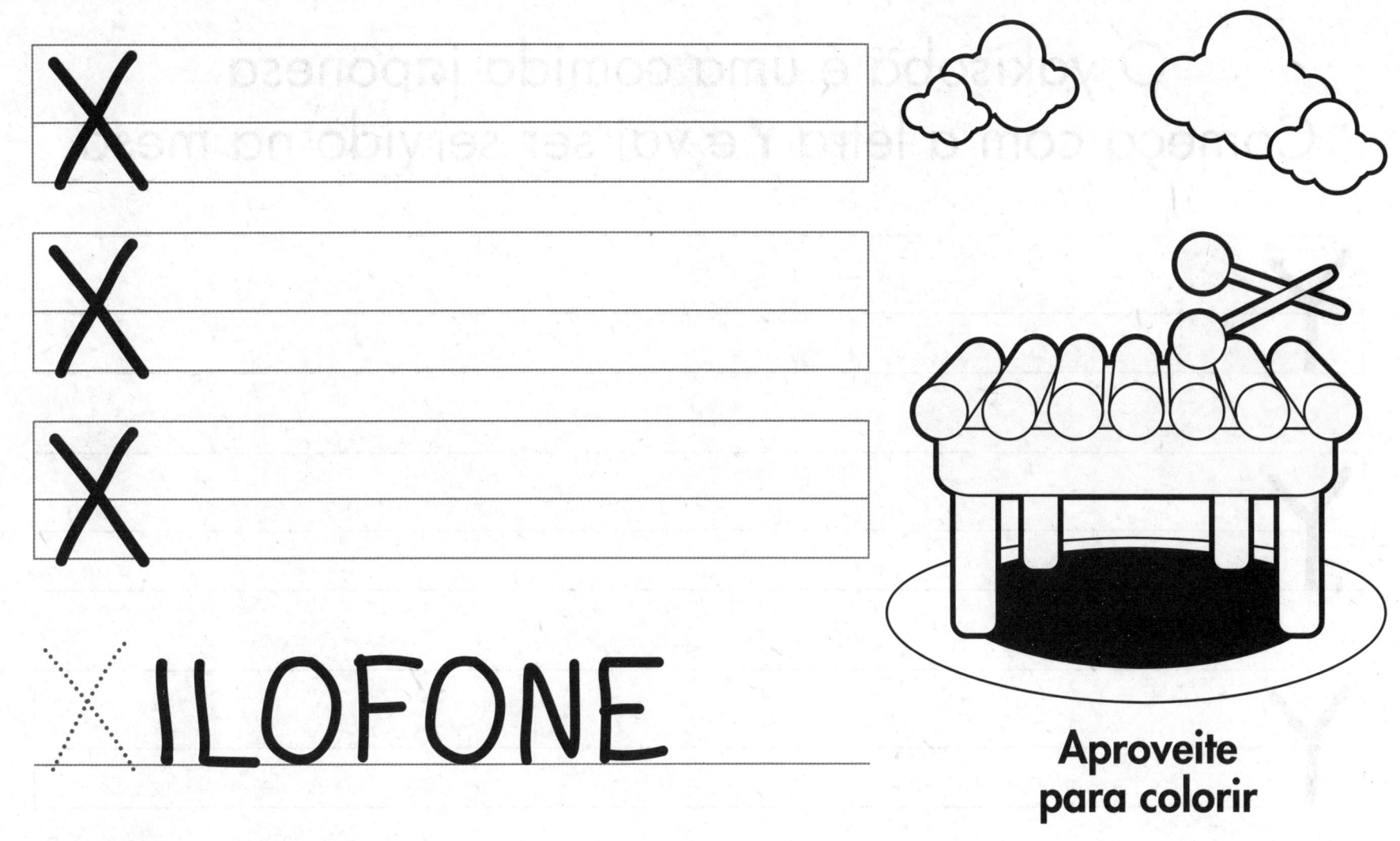

O _ILOFONE TEM UM BELO SOM.

O yakisoba é uma comida japonesa
Começa com a letra Y e vai ser servido na mesa

Y Y

Y

Y

Y

Y

Y

Y

YAKISOBA

Aproveite para colorir

Complete as letras faltantes!

O _AKISOBA É FEITO COM MACARRÃO.

A zebra que é tio do cavalo
Começa com a letra z e gosta muito do trabalho

Z Z

Z

Z

Z

Z

Z Z Z

Z EBRA

Aproveite para colorir

Complete as letras faltantes!

A _EBRA _AN_AVA PELA SELVA.

Exercícios
Vamos lembrar de todas as letras?

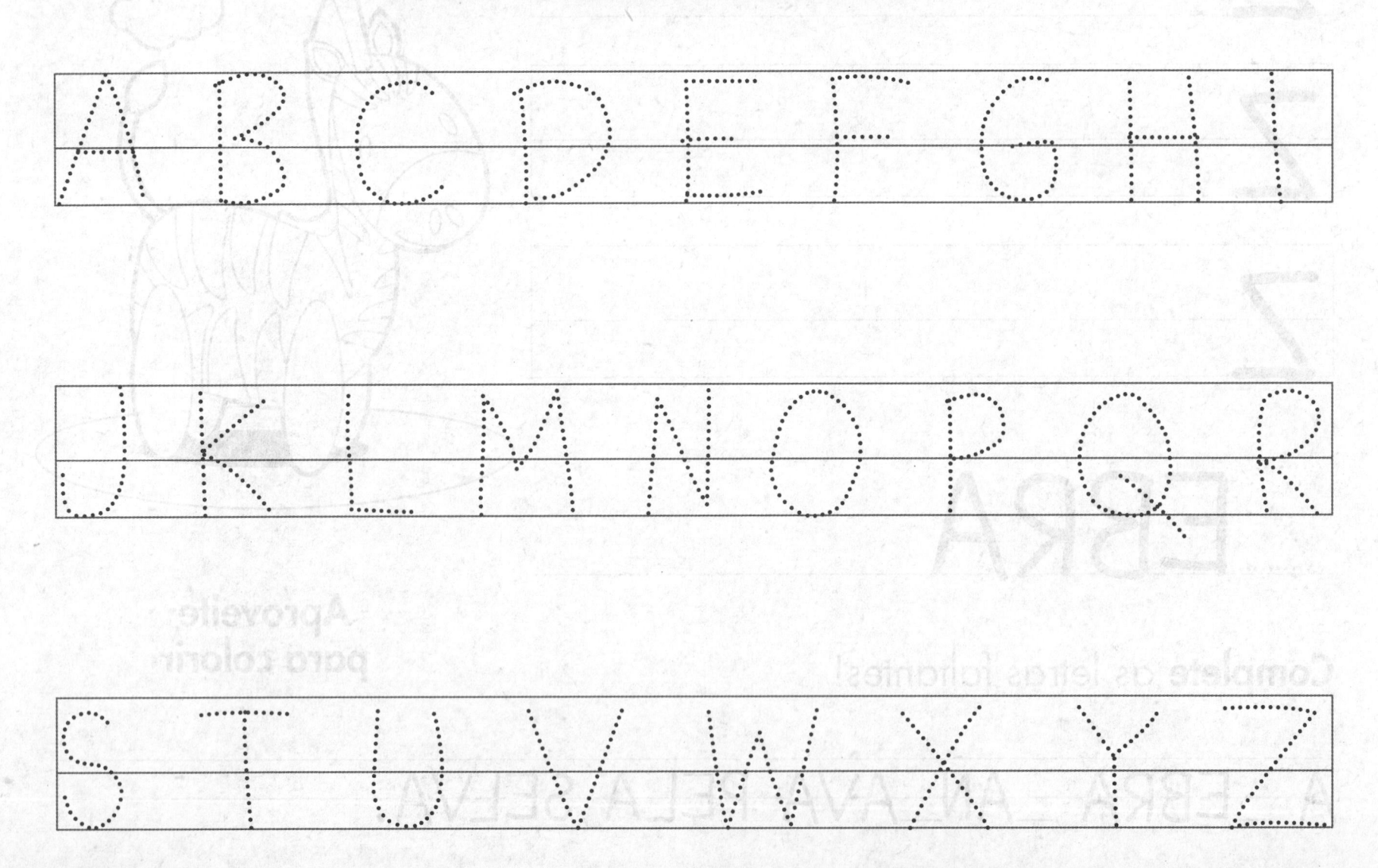

A B C D E F G H I

J K L M N O P Q R

S T U V W X Y Z

Agora, sem ajuda!

Exercícios
Vamos escrever seu nome?

E o nome dos seus amigos!

E agora, vamos conhecer os números!

1 2 3 4 5 6 7 8 9 0